Canadian Curriculum
FrenchSmart

Grade **6**

ISBN: 978-1-927042-18-2

Canadian Curriculum FrenchSmart

ISBN: 978-1-927042-18-2

Contents

ISBN: 978-1-927042-18-2

Les adjectifs possessifs

Possessive Adjectives

Vocabulaire : Les adjectifs possessifs

Révision : Comment utiliser les adjectifs possessifs

Grammaire : La possession et les pronoms disjoints

C'est ma robe!
seh mah rohb
It's my dress!

Non, c'est ma robe à moi!
noh seh mah rohb ah mwah
No, the dress is mine!

A. Copiez les mots.
Copy the words.

One possessor

	my	your	his/her/its
1 object	mon (m.) _____ *mohn*	ton (m.) _____ *tohn*	son (m.) _____ *sohn*
1 object	ma (f.) _____ *mah*	ta (f.) _____ *tah*	sa (f.) _____ *sah*
> 1 object	mes (m./f.) _____ *meh*	tes (m./f.) _____ *teh*	ses (m./f.) _____ *seh*

More than one possessor

	our	your	their
1 object	notre (m./f.) _____ *nohtr*	votre (m./f.) _____ *vohtr*	leur (m./f.) _____ *luhr*
> 1 object	nos (m./f.) _____ *noh*	vos (m./f.) _____ *voh*	leurs (m./f.) _____ *luhr*

ISBN: 978-1-927042-18-2

 Grammaire

Comment choisir le bon adjectif possessif
How to choose the correct possessive adjective

Step 1: Identify the number of possessors.

Step 2: Identify the number of things possessed.

Step 3: Identify the gender of the possessed object(s).

If a singular possessed object starts with a vowel, you use mon, ton, or son regardless of the gender.

une école (f.)

but: mon école ✓

~~ma~~ école ✗

e.g. my dress

Step 1: **my** dress — 1 possessor

Step 2: my **dress** — 1 object

Step 3: my **dress** — gender of dress: une robe (f.)

	Je
1 object	mon (m.)
	ma (f.)
>1 object	mes (m./f.)

	Je
	mon (m.)
	ma (f.)
	mes (m./f.)

	Je
	~~mon~~ (m.)
	ma (f.)
	~~mes~~ (m./f.)

Ma robe!

B. Construisez une phrase pour chaque image en imitant l'exemple.

Follow the example to make a sentence for each picture.

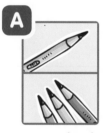

A

your (sg.)

B

our

C

my

D

your (pl.)

E

her

A C'est ton crayon.   Ce sont tes crayons.

B _____   _____

C _____   _____

D _____   _____

E _____   _____

C. **Traduisez la phrase en français avec le bon adjectif possessif.**
Translate the sentence into French with the correct possessive adjective.

1.

My favourite season is winter.

2. Our class is very big.

_____

3. Your (sg.) teacher is very nice.

_____

4. His ice cream is cold.

_____

5. Her 99 dresses are pretty.

_____

6. Their house is big but their rooms are small.

_____

7.

Your nose is red!

Grammaire

Une autre façon de montrer la possession
Another way to show possession

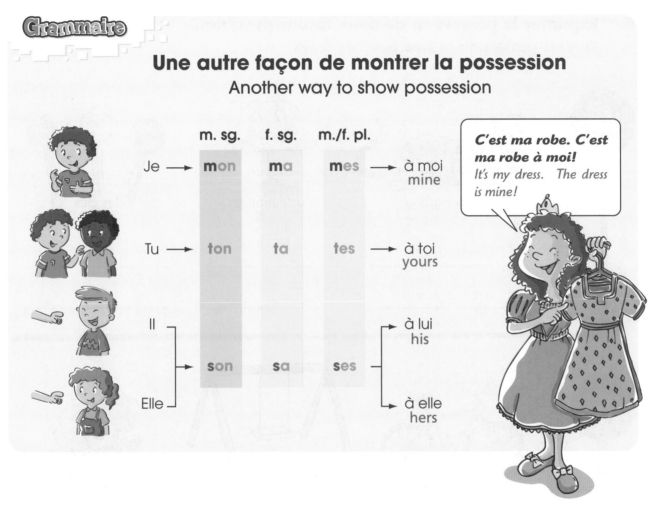

D. Récrivez la phrase avec le bon adjectif possessif.
Rewrite the sentence with the correct possessive adjective.

1. C'est le râteau à lui.   C'est _____ râteau.

2. Je mange la pomme à moi.   _____

3. Les fleurs à toi sont ici.   _____

4. Quelles sont les robes à elle?   _____

5. As-tu besoin du livre à toi?   _____

6. J'embrasse la mère à moi.   _____

ISBN: 978-1-927042-18-2   **Canadian Curriculum FrenchSmart** · Grade 6

E. **Exprimez la possession de deux façons possibles.**
Express possession in two possible ways.

Je

un tigre

une lampe

les clés

_____ mon tigre _____

_____ le tigre à moi _____

Tu

un vélo

une balançoire
ewn bah·laan·swahr

les fleurs

_____

_____

Il / Elle

un ananas

une banane

les pommes

_____

_____

ISBN: 978-1-927042-18-2

F. Remplissez les tirets avec le bon adjectif possessif.
Fill in the blanks with the correct possessive adjectives.

1.

Mange _____ my légumes!

Je ne veux pas manger _____ your légumes.

2.

Vite! _____ our mère vient!

Mais, je ne veux pas manger tes légumes à _____ yours.

3.

Paul a mangé ses légumes à _____ his.

Tu dois manger _____ your légumes aussi.

Mais...

G. Complétez les phrases avec la bonne partie du corps et le bon adjectif possessif.
Complete each sentence with the correct body part and the correct possessive adjective.

1. Tu marches avec _____ .

2. Je parle avec _____ .

3. Nous mangeons avec _____ .

4. Ils écoutent avec _____ .

Vocabulaire : Les conjonctions

Grammaire : L'emploi des conjonctions

> **J'aime mon chat et mon chien.**
> *jehm mohn shah eh mohn shyahn*
> I like my cat and my dog.

> **Je t'aime aussi mais je n'aime pas Charlie.**
> *juh tehm oh·see meh juh nehm pah shahr·lee*
> I like you too but I don't like Charlie.

A. Copiez les mots.
Copy the words.

et and

_____
eh

Il fait froid en automne **et** en hiver.
It's cold in fall and in winter.

ou or

_____
oo

Est-ce que c'est un fruit **ou** un légume?
Is this a fruit or a vegetable?

mais but

_____
meh

Je n'aime pas les fruits **mais** j'aime les légumes.
I don't like fruits but I like vegetables.

ni...ni(ne) neither...nor

_____
nee nee

parce que because

_____
pahrs kuh

puis then

_____
pwee

car since

_____
kahr

donc therefore/so

_____
dohnk

ISBN: 978-1-927042-18-2

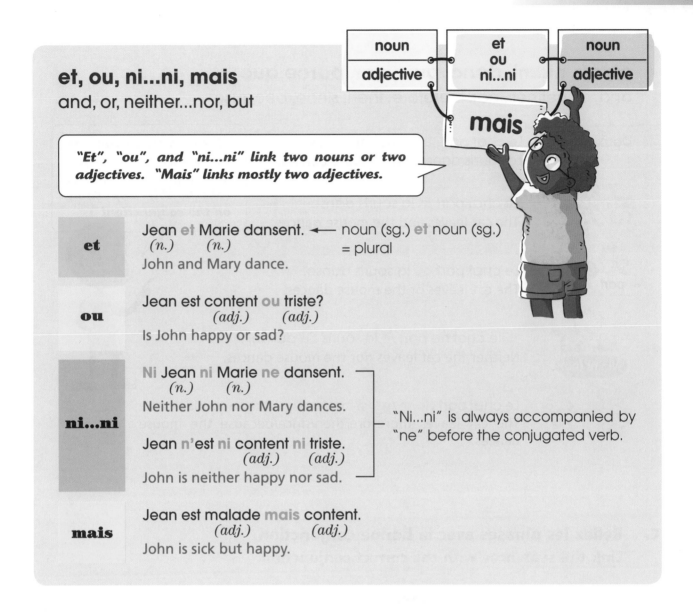

et, ou, ni...ni, mais
and, or, neither...nor, but

"Et", "ou", and "ni...ni" link two nouns or two adjectives. "Mais" links mostly two adjectives.

et	Jean **et** Marie dansent. ← noun (sg.) **et** noun (sg.) *(n.)* *(n.)* = plural John and Mary dance.
ou	Jean est content **ou** triste? *(adj.)* *(adj.)* Is John happy or sad?
ni...ni	**Ni** Jean **ni** Marie **ne** dansent. *(n.)* *(n.)* Neither John nor Mary dances.
	Jean **n'est ni** content **ni** triste. *(adj.)* *(adj.)* John is neither happy nor sad.
mais	Jean est malade **mais** content. *(adj.)* *(adj.)* John is sick but happy.

"Ni...ni" is always accompanied by "ne" before the conjugated verb.

B. Remplissez les tirets avec la bonne conjonction.
Fill in the blanks with the correct conjunctions.

1. Charlie _____ (and) le chat sont des amis.

2. Qui danse? Charlie _____ (or) le chat?

3. _____ (Neither) Charlie _____ (nor) le chat __ dansent.

4. Charlie est content _____ (but) fatigué.

5. Charlie __est _____ (neither) content _____ (nor) triste.

6. Où est tu? À l'école _____ (or) à la bibliothèque?

et, ou, ni...ni, donc, puis, car, parce que
and, or, neither...nor, therefore, then, since, because

Deux phrases: Le chat part.   The cat leaves.
                     La souris danse. The mouse dances.

> **All conjunctions can link two sentences, but their meaning may change considerably depending on the conjunction!**

Le chat part **et** la souris danse.
The cat leaves and the mouse dances.

Le chat part **ou** la souris danse.
The cat leaves or the mouse dances.

Ni le chat ne part **ni** la souris **ne** danse.
Neither the cat leaves nor the mouse dances.

Le chat part **donc**/**puis**/**car**/**parce que** la souris danse.
The cat leaves therefore/then/since/because the mouse dances.

C. Reliez les phrases avec la bonne conjonction.
Link the sentences with the correct conjunction.

1. Je mange. J'ai faim. (because)

    _____

2. Tu chantes. Tu danses. (and)

    _____

3. Nous avons raison. Nous sommes intelligents. (since)

    _____

4. Je mange mon déjeuner. Je me brosse les dents. (then)

    _____

Expressions

Pourquoi est-ce que tu danses?
poor·kwah ehs·kuh tew daans

Why are you dancing?

En anglais : **In English**	En français : **In French**
"Why...?" "Because..."	« Pourquoi...? » *poor·kwah* « Parce que... » *pahrs kuh*

✱ When "parce que" is followed by a word starting with a vowel, it becomes "parce qu'".

Parce que je suis content!
pahrs kuh juh swee kohn·taan

Because I'm happy!

D. Répondez aux questions à l'aide des traductions.
Answer the questions with the help of the translations.

1. Pourquoi est-ce que tu manges?

   _____

   Why do you eat?

   Because I'm hungry.

2. Pourquoi est-ce qu'il danse et elle pleure?

   _____

   Why does he dance and she cry?
   Because he's happy and she's sad.

3. Pourquoi est-ce que tu sommeilles?

   _____

   Why do you take a nap?

   Because I'm tired and bored.

4. Pourquoi est-ce que nous étudions le français?

   _____

   Why do we study French?

   Because it's beautiful.

5. Pourquoi est-ce que son chien aboie?

   _____

   Why does his dog bark?

   Because it's angry.

Expressions

En anglais :
In English

"Neither...nor..."

"Either...or..."

En français :
In French

« Ni...ni...(ne)... »

« Ou...ou... »

Ou tu manges la crème glacée ou tu manges le chocolat.

oo tew maanj lah krehm glah·seh oo tew maanj luh shoh·koh·lah

You can eat either the ice cream or the chocolate.

Je n'aime ni la crème glacée ni le chocolat!
juh nehm nee lah krehm glah·seh nee luh shoh·koh·lah
I like neither ice cream nor chocolate.

E. **Complétez les phrases à l'aide des traductions.**
Complete the sentences with the help of the translations.

1. Ou je joue avec ma sœur ————————————————— .
   or I go to the park with my brother

2. Tu ne parles ————————————————— .
   neither with your dog nor with your cat

3. Ou vous êtes malades et vous restez à la maison ————————— .
   or you go to school

4. Ou ils nagent dans la piscine ————————————————— .
   or they go to the beach

5. Alice ne porte ————————————————— .
   neither her glasses nor her hat

6. Ni le chat n'aime le chien ————————————————— .
   nor does the dog like the cat

ISBN: 978-1-927042-18-2

F. Remplissez les tirets.
Fill in the blanks.

Julie _____ Marie aiment étudier
and

ensemble _____ elles sont de bonnes
because

amies. Marie va toujours chez Julie$_1$ _____
since

Julie habite$_2$ près de leur école. Julie a un chien _____ un chat. Son chien
and

est beau _____ il fait beaucoup de bruit$_3$. _____ Julie a l'habitude
but   Therefore

d'étudier avec de la musique. _____ le chien _____ Marie
Neither   nor

n'aiment sa musique. _____ la musique est très forte$_4$ _____ elle
Either   or

est triste. _____ chaque fois$_5$ que Julie joue de la musique, le chien
So

s'assoit$_6$ sur son livre _____
then

Marie commence à rire$_7$.

---

1. *chez Julie : at Julie's*
2. *habiter : to live*
3. *faire beaucoup de bruit : to make a lot of noise*
4. *fort(e) : loud*
5. *chaque fois : each time*
6. *s'assoir : to sit*
7. *commence à rire : starts to laugh*

La négation

The Negative

Vocabulaire : Les verbes en « -IR »

Révision : La négation

Grammaire : La conjugaison des verbes en « -IR »

> **Ne salissez pas mon lit!**
> *nuh sah·lee·seh pah mohn lee*
> *Don't dirty my bed!*

A. Copiez les mots.
Copy the words.

choisir	punir	finir
to choose	to punish	to finish
_____	_____	_____
shwah·zeer	*pew·neer*	*fee·neer*

obéir	bâtir	agir
to obey	to build	to act
_____	_____	_____
oh·beh·yeer	*bah·teer*	*ah·jeer*

rougir	remplir	salir
to blush	to fill	to dirty
_____	_____	_____
roo·jeer	*raam·pleer*	*sah·leer*

nourrir	avertir	grandir
to feed	to warn	to grow
_____	_____	_____
noo·reer	*ah·vehr·teer*	*graan·deer*

B. Écrivez le verbe en « -IR » correspondant à chaque image.
Write the "-IR" verb that corresponds to each picture.

1.

_____

2.

_____

3.

_____

4.

_____

5.

_____

6.

_____

7.

Attention!

_____

8.

_____

Les verbes en « -IR » du 2^e groupe
"-IR" Verbs of the 2nd Group

Verb endings

singulier		pluriel	
je	-is	nous	-**iss**ons
tu	-is	vous	-**iss**ez
il/elle	-it	ils/elles	-**iss**ent

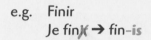

e.g. Finir
Je fin~~is~~ → fin-**is**

Je fin**is**
I finish/I am finishing

Nous finissons nos repas!
noo fee·nee·sohn noh ruh·pah
We finish our meals!

C. Conjuguez les verbes.
Conjugate the verbs.

1. Marguerite _____ (salir) le tapis.

2. Je _____ (finir) toujours mes légumes.

3. Les fleurs _____ (grandir) pendant le printemps.

4. Jacques _____ (agir) comme un singe.

5. Nous _____ (remplir) les bouteilles d'eau.

6. Vous _____ (obéir) toujours à vos parents.

7. Ils _____ (rougir) de colère.
    koh·lehr
    anger

8. Tu _____ (nourrir) l'oiseau au grain.

9. Elle _____ (choisir) souvent le rouge.

Les adverbes négatifs
Negative Adverbs

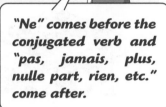

In French, two parts are needed to make a verb negative.

• « ne...pas » not	Je ne salis pas ma chambre. I don't dirty my room.
• « ne...jamais » never	Tu ne rougis jamais d'embarras. You never blush with embarrassment.
• « ne...plus » no more/not anymore	Vous ne nourrissez plus les oiseaux. You don't feed the birds anymore.
• « ne...nulle part » nowhere/not anywhere	Je ne vais nulle part. I don't go anywhere.

"Ne" comes before the conjugated verb and "pas, jamais, plus, nulle part, rien, etc." come after.

"Ne" becomes "n'" in front of a word that starts with a vowel.

le/la	l'
ne + vowel = n'	
je	j'

D. Mettez les phrases au négatif.

Put the sentences into the negative.

1. Il va à l'école. _____
    never

2. J'aime mon cousin. _____
    not

3. Tu finis tes devoirs. _____
    never

4. Tu remplis ton verre. _____
    not

5. Elle rougit de colère. _____
    no more

6. Vous choisissez votre famille. _____
    not

7. Nous bâtissons une maison. _____
    no more

8. J'avertis toujours mes amis. _____
    never

E. Cochez la phrase qui correspond à l'image.
Check the sentence that corresponds to each picture.

1.

◯ Jean ne salit jamais ses vêtements.

◯ Jean aime bâtir des maisons.

◯ Jean ne bâtit plus la maison.

◯ Jean n'aime pas bâtir des maisons.

2.

◯ Jacqueline nourrit son chien.

◯ Zoé ne remplit pas la tasse.

◯ Zoé nourrit sa poupée.

◯ Jacqueline nourrit Zoé.

3.

◯ Olivier et Lucie remplissent les bols.

◯ Lucie remplit son bol.

◯ Lucie mange ses céréales.

◯ Olivier finit ses céréales.

4.

◯ Il nourrit l'oiseau.

◯ Il obéit.

◯ Il n'obéit pas.

◯ L'oiseau finit son repas.

F. Écrivez une phrase positive et négative pour chaque image avec la bonne forme du verbe indiqué.

Write a positive and a negative sentence for each picture using the correct from of the indicated verb.

rougir

remplir

G. Traduisez les phrases en français.
Translate the sentences into French.

1. Monique is punishing her dog.

_____

2. Claire and Marie are warning their brother.

_____

3. Lucie chooses the blue dress.

_____

4. We are building a house.

_____

En ville

In the City

Vocabulaire : Les endroits en ville

Grammaire : La préposition « à »
« Aller » au présent

Nous allons à la plage.
noo zah·lohn ah lah plahj

We are going to the beach.

A. Copiez les mots.
Copy the words.

Les endroits

le magasin	l'hôtel	l'aéroport
the store	the hotel	the airport
luh mah·gah·zahn	*loh·tehl*	*lah·eh·roh·pohr*

le restaurant	le cinéma	le musée
the restaurant	the cinema	the museum
luh rehs·toh·raan	*luh see·neh·mah*	*luh mew·zeh*

le parc	le marché	le lac
the park	the market	the lake
luh pahrk	*luh mahr·sheh*	*luh lahk*

le pont	le centre d'achats	le monument
the bridge	the shopping centre	the monument
luh pohn	*luh saantr dah·shah*	*luh moh·new·maan*

ISBN: 978-1-927042-18-2

Les endroits

l'école
school

_____

leh·kohl

la ville
the city

_____

lah veel

la bibliothèque
the library

_____

lah bee·blee·yoh·tehk

la maison
home

_____

lah meh·zohn

la plage
the beach

_____

lah plahj

la campagne
the countryside

_____

lah kaam·pahny

la tour
the tower

_____

lah toor

la rivière
the river

_____

lah ree·vyehr

la cabine téléphonique
the telephone booth

_____

lah kah·been teh·leh·foh·neek

B. **Complétez les phrases avec la préposition « à » suivie de l'endroit indiqué.**
Complete the sentences with the preposition "à" followed by the indicated places.

1. André regarde un film _____ .
   at the cinema

2. Benoît aime manger _____ .
   at the restaurant

3. Jacqueline étudie _____ .
   at school

4. La classe de Mme Legrand aime regarder

   les dinosaures _____ .
   at the museum

5. Nicolas et Amélie achètent un paquet de bonbons _____ .
   at the store

"à" means "at"

à + le = au
à + la = à la
à + les = aux
à + noun beginning with a vowel = à l'

C. **Écrivez le nom de l'endroit en utilisant la construction « à + le nom de l'endroit ».**

Write the name of the place using "à + name of the place".

A _____ **B** _____

C _____ **D** _____

E _____ **F** _____

G _____ **H** _____

La préposition « à » et les endroits
The Preposition "à" and Places

In French, the preposition "à" is placed before the names of places. It can have different meanings depending on the context.

"à" means:

| in | Marcel est **à la** cuisine.
Marcel is in the kitchen. |

| at | Il fait froid **au** cinéma.
It is cold at the movie theatre. |

| to | Je vais **à l'**école.
I go/am going to school. |

Aujourd'hui je reste au lit, je ne vais pas à l'école.

oh·joor·dwee juh rehst oh lee juh nuh veh pah zah leh·kohl

Today, I stay **in** bed. I don't go **to** school.

D. Remplissez les tirets en traduisant de l'anglais.
Fill in the blanks by translating from English.

1. Je _____ .

eat at school

2. Elles _____ leurs devoirs _____ .

finish   in/at the library

3. Vous _____ .

are at the airport

4. Tu _____ .

are at the beach

5. Il _____ .

is hot in the park

6. Nous _____ .

arrive at home

Aller (à)
To go (to)

> When describing a movement to a destination, the verb "aller" is followed by "à" to mean "to go to a place".
>
> aller **à** (un endroit)
> *to go **to** (a place)*

"Aller" is an irregular verb. It is a verb of movement that means "to go".

singulier		pluriel	
Je vais *juh veh*	I go/am going	Nous allons *noo zah·lohn*	we go/are going
Tu vas *tew vah*	you go/are going	Vous allez *voo zah·leh*	you go/are going
Il/Elle va *eel/ehl vah*	he/she goes/is going	Ils/Elles vont *eel/ehl vohn*	they go/are going

E. **Remplissez les tirets avec la bonne forme du verbe « aller » suivie de la préposition « à ».**

Fill in the blanks with the correct form of the verb "aller" followed by the preposition "à".

1. Alice _____ magasin.

2. Je _____ l'école.

3. Alex et son chien _____ parc.

4. Vous _____ la campagne.

5. Nous _____ centre d'achats.

6. Tu _____ la maison.

7. Ils _____ l'hôtel.

8. Je _____ marché.

9. Toi et ta mère _____ l'épicerie.

> ### Attention!
> Other verbs of movement **toward** a place could be followed by "à":
>
> arriver à: arrive **at**
> monter à: climb up **to**
> porter à: to take **to**

F. **Écrivez une phrase pour chaque image avec le verbe « aller (à) ».**
Write a sentence for each picture with the verb "aller (à)".

A _____

B _____

C _____

D _____

G. **Écrivez l'endroit où vous allez à chaque heure.**
Write where you go at the given times.

À 8 h 30, je _____ .

À 17 h, je _____ .

À 21 h, je _____ .

La cuisine

The Kitchen

Vocabulaire : Les objets de la cuisine

Grammaire : Les verbes en « -RE »

> **J'attends mon dîner.**
> *jah·taan mohn dee·neh*
> *I'm waiting for my lunch.*

A. Copiez les mots.
Copy the words.

le grille-pain
the toaster

_____

luh greey pahn

la poêle
the frying pan

_____

lah pwahl

la bouilloire
the kettle

_____

lah boo·ywahr

A le réfrigérateur

_____

luh reh·free·jeh·rah·tuhr

B la hotte

_____

lah oht

C le micro-ondes

_____

luh mee·kroh·ohnd

D le placard

_____

luh plah·kahr

E le tiroir

_____

luh tee·rwahr

F la cuisinière

_____

lah kwee·zee·nyehr

G le four

_____

luh foor

H la cafetière

_____

lah kahf·tyehr

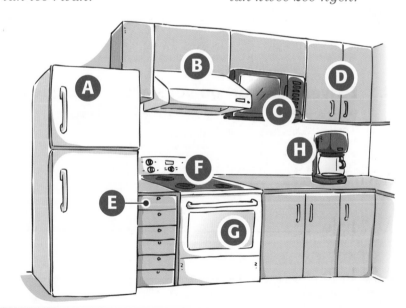

ISBN: 978-1-927042-18-2

la table
the table

_____

lah tahbl

un bol
a bowl

_____

euhn bohl

la chaise
the chair

_____

lah shehz

un verre
a glass

_____

euhn vehr

le napperon
the tablemat

_____

luh nahp·rohn

une serviette
a napkin

_____

ewn sehr·vyeht

P une fourchette

_____

ewn foor·sheht

R un couteau

_____

euhn koo·toh

Q une assiette

_____

ewn ah·syeht

S une cuillère

_____

ewn kwee·yehr

B. **Écrivez le nom de chaque objet.**
Write the name of each object.

1.

_____

2.

_____

3.

_____

4.

_____

5.

_____

6.

_____

7.

_____

8.

_____

9.

_____

C. Reliez les mots qui vont ensemble.
Link the words that go together best.

une chaise •   • une fourchette

un couteau •   • une assiette

un napperon •   • une table

un bol •   • la hotte

la cuisinière •   • une serviette

D. Remplissez les tirets à l'aide des images.
Fill in the blanks with the help of the pictures.

1. Nous remplissons le _____ de nourriture.

2. Je bois du lait au chocolat d'un _____ .

3. Mon grand-père bâtit une _____ pour la cuisine.

4. Paul remplit son _____ .

5. Simon finit son dîner avec sa _____ .

6. Il nourrit son petit frère avec une _____ .

 Grammaire

Les verbes réguliers en « -RE » au présent
Regular "-RE" Verbs in the Present Tense

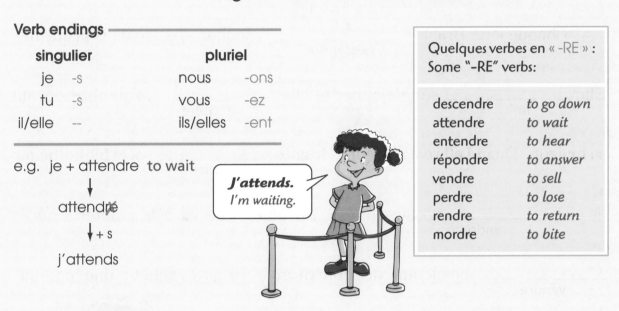

Verb endings

singulier		pluriel	
je	-s	nous	-ons
tu	-s	vous	-ez
il/elle	--	ils/elles	-ent

e.g. je + attendre to wait

↓

attendre

↓ + s

j'attends

J'attends.
I'm waiting.

Quelques verbes en « -RE » :
Some "-RE" verbs:

descendre	to go down
attendre	to wait
entendre	to hear
répondre	to answer
vendre	to sell
perdre	to lose
rendre	to return
mordre	to bite

E. Conjuguez les verbes. Ensuite remplissez les tirets.
Conjugate the verbs. Then fill in the blanks.

	entendre	répondre	rendre	mordre	descendre
je					
tu					
il/elle					
nous					
vous					
ils/elles					

1. J' _____ le train.
       to wait

2. Nous _____ la hotte.
            to hear

3. Tu _____ au téléphone.
        to answer

4. Mon chien ne _____ pas.
                    to bite

F. **Lisez l'histoire et remplissez les tirets en conjuguant les verbes donnés.**
Read the story and fill in the blanks with the conjugated form of the given verbs.

Chaque jour, Brigitte _____ l'escalier et entre dans la cuisine.
                               descendre

Elle _____ son déjeuner et elle _____ l'autobus devant
           finir   attendre

sa maison. Quand elle est à l'école, Brigitte _____ à la bibliothèque
                                                        aller

et elle _____ ses livres. Au dîner, elle va à la cafétéria où ils
              rendre

_____ beaucoup de nourriture. Brigitte achète une pomme.
       vendre

Elle _____ dans sa pomme
          mordre

et _____ sa dent. Oh, la, la!
        perdre

Voilà la journée de Brigitte!

G. **Relisez l'histoire et remplissez les tirets.**
Reread the story and fill in the blanks.

1. Brigitte rend _____ à _____ .

2. Au dîner, elle va _____ .

3. Elle achète _____ .

4. Elle _____ dans sa pomme.

5. Elle _____ sa dent.

H. **Encerclez la bonne réponse et remplissez le tiret avec la bonne forme du verbe.**

Circle the correct sentence and fill in the blank with the correct form of the verb.

1.

Louis (vendre)...

A. _____ des conserves.

B. _____ de la limonade.

C. _____ ses jouets.

2.

Élodie et sa mère (attendre)...

A. _____ le train.

B. _____ le médecin.

C. _____ l'autobus.

3.

Tu (descendre)...

A. _____ l'escalier.

B. _____ la montagne.

C. _____ la rivière.

4.

Elle (répondre)...

A. _____ à sa mère.

B. _____ au téléphone.

C. _____ aux questions.

Unité 6

Les sports

Sports

Vocabulaire : Les sports et les équipements

Révision : Les articles partitifs (du, de la, de l', des)

Grammaire : Le verbe « faire »

Expressions : « Faire de » / « jouer à » avec les sports

> **Nous jouons au volley-ball.**
> *noo joo·ohn oh voh·lee·bohl*
> We are playing volleyball.

A. Copiez les mots.
Copy the words.

le soccer

_____

luh soh·ker

le ballon the ball

_____

luh bah·lohn

le tennis

_____

luh teh·neess

la balle de tennis the tennis ball

_____

lah bahl duh teh·neess

le football américain

_____

luh foot·bohl ah·meh·ree·kahn

le terrain the field

_____

luh teh·rahn

le golf

_____

luh gohlf

le club the club

_____

luh kleuhb

le basket-ball

_____

luh bahs·keht·bohl

le panier the basket

_____

luh pah·nyeh

le hockey

_____

luh oh·keh

la rondelle the puck

_____

lah rohn·dehl

ISBN: 978-1-927042-18-2

le volley-ball A

luh voh·lee·bohl

le filet the net

luh fee·leh

le ski B

luh skee

les bâtons de ski ski poles

leh bah·tohn duh skee

le patinage C

luh pah·tee·nahj

les patins à glace ice-skates

leh pah·tahn ah glahs

la lutte D

lah loot

le matelat the mat

luh maht·lah

le vélo E

luh veh·loh

le casque the helmet

luh kahsk

la boxe F

lah bohks

les gants de boxe
boxing gloves

leh gaan duh bohks

la gymnastique G

luh jeem·nahs·teek

la poutre
the balance beam

lah pootr

la natation H

lah nah·tah·syohn

le costume de bain
the bathing suit

luh kohs·tewm duh bahn

le base-ball I

luh behz·bohl

le bâton de base-ball
the baseball bat

luh bah·tohn duh behz·bohl

B. Écrivez le nom du sport correspondant à chaque équipement.
Write the name of the sport corresponding to each piece of equipment.

1.

   _____

2.

   _____

3.

   _____

4.

   _____

5.

   _____

6.

   _____

7.

   _____

8.

   _____

9.

   _____

10.

   _____

ISBN: 978-1-927042-18-2

« Faire » et « jouer » au présent
"To Do" and "To Play" in the Present Tense

"Faire" means "to do" and it is used with sports that are "not played", such as: skiing, swimming and biking. "Faire" is an irregular verb that needs to be memorized.

"Jouer" means "to play" and it is used with sports that are "played", such as: basketball, football, hockey and golf.

faire + de* to do		jouer + à* to play	
singulier	**pluriel**	**singulier**	**pluriel**
je fais I do *juh feh*	nous faisons we do *noo feh·zohn*	je joue I play *juh joo*	nous jouons we play *noo joo·ohn*
tu fais you do *tew feh*	vous faites you do *voo feht*	tu joues you play *tew joo*	vous jouez you play *voo joo·eh*
il/elle fait he/she does *eel/ehl feh*	ils/elles font they do *eel/ehl fohn*	il/elle joue he/she plays *eel/ehl joo*	ils/elles jouent they play *eel/ehl joo*

* The preposition "de" is used with "faire" when it means "to do a sport".

e.g. Il fait de la natation.
   He swims/is swimming.

* The preposition "à" is used with "jouer" when it means "to play a sport".

e.g. Elle joue au basket-ball.
   She plays/is playing basketball.

C. **Écrivez la bonne forme du verbe selon le sujet.**

Write the correct form of the verb according to the subject.

« Faire de »

Je _____ du ski.

Tu _____ de la boxe.

Il _____ de la natation.

Elle _____ de la lutte.

Nous _____ de la gymnastique.

Vous _____ du vélo.

Ils/Elles _____ du patinage.

« Jouer à »

Je _____ au soccer.

Tu _____ au tennis.

Il _____ au basket-ball.

Elle _____ au base-ball.

Nous _____ au volley-ball.

Vous _____ au hockey.

Ils/Elles _____ au golf.

D. **Écrivez une phrase complète en utilisant le bon verbe « jouer à / faire de ».**
Write a complete sentence using the correct verb "jouer à / faire de".

1. Elles/la boxe

    _____

2. Marie/le patinage

    _____

3. Vous/le hockey

    _____

4. Bruno et Daniel/le tennis

    _____

5. Tu/le basket-ball

    _____

6. Ils/la lutte

    _____

7. Il/le golf

    _____

8. Pierre et Martin/le soccer

    _____

ISBN: 978-1-927042-18-2

E. **Remplissez les tirets pour compléter le journal de Thérèse.**
Fill in the blanks to complete Thérèse's diary entry.

Cher journal₁,

J'en _____ *assez₂! Chaque samedi,*
  to have

je me _____ *à 7 h 30. À 8 h 30 je*
  to wake up: réveiller

_____ *; à 9 h 30 moi et mon père,*
  to swim

nous _____ *. Heureusement₃ nous*
  to play golf

_____ *le dîner à 11 h 30 pile₄,*
  to eat

mais tout recommence₅ à 12 h quand₆ je

_____ *avec l'équipe de basket. À 14 h*
  to play basketball

je _____ *à la télévision et à 16 h*
  to watch boxing

nous _____ *les courses₇ avec ma*
  to do

mère. À 18 h, quand mes parents _____ *le souper, moi et ma sœur*
  to prepare: préparer

_____ *aux cartes₈. À 19 h 30 nous* _____ *le souper et après*
  to play   to eat

20 h je ne me souviens plus₉ car je m'endors₁₀ sur le canapé. Cher journal, j'en ai

assez! Je _____ *fatiguée!*
  to be

Mes samedis sportifs
My sports-full Saturdays

8 h	le déjeuner
8 h 30	la natation
9 h 30	le golf avec mon père
11 h 30	le dîner avec la famille
12 h	le basket-ball avec l'équipe
14 h	regarder la boxe
16 h	faire les courses
18 h	jouer aux cartes
20 h	—— ?! ——

Quel jour!
What a day!

1. *Cher journal : Dear diary*
2. *en avoir assez : to be fed up*
3. *heureusement : luckily*
4. *à 11 h 30 pile : at exactly 11:30*
5. *tout recommence : everything starts again*
6. *quand : when*
7. *faire les courses : to do the shopping*
8. *jouer aux cartes : to play cards*
9. *je ne me souviens plus : I don't remember anymore*
10. *je m'endors : I fall asleep*

Au restaurant

At the Restaurant

Vocabulaire : Le menu et les plats

Grammaire : Le futur proche

Expressions : « Aller + prendre »

> **Nous allons prendre une salade verte.**
> *noo zah·lohn praandr ewn sah·lahd vehrt*
> We are going to have a green salad.

A. Copiez les mots.
Copy the words.

Le menu _____
The Menu   *luh muh·new*

les entrées
appetizers

_____

leh zaan·treh

la salade
salad

_____

lah sah·lahd

la soupe
soup

_____

lah soop

le fromage
cheese

_____

luh froh·mahj

les plats principaux
main courses

_____

leh plah prahn·see·poh

les pâtes
pasta

_____

leh paht

la viande
meat

_____

lah vee·aand

la volaille
poultry

_____

lah voh·lahy

le pain
bread

_____

luh pahn

les fruits de mer
seafood

_____

leh frwee duh mehr

la pomme de terre
potato

_____

lah pohm duh tehr

le riz
rice

_____

luh ree

ISBN: 978-1-927042-18-2

les desserts
desserts

_____
leh deh·sehr

les crêpes
crêpes

_____
leh krehp

la crème glacée
ice cream

_____
lah krehm glah·seh

le gâteau
cake

_____
luh gah·toh

les boissons
drinks

_____
leh bwah·sohn

le thé
tea

_____
luh teh

le jus
juice

_____
luh jew

l'eau
water

_____
loh

le café
coffee

_____
luh kah·feh

le lait
milk

_____
luh leh

le nectar
nectar

_____
luh nehk·tahr

la boisson gazeuse
pop

_____
lah bwah·sohn gah·zuhz

la limonade
lemonade

_____
lah lee·moh·nahd

la tisane
herbal tea

_____
lah tee·zahn

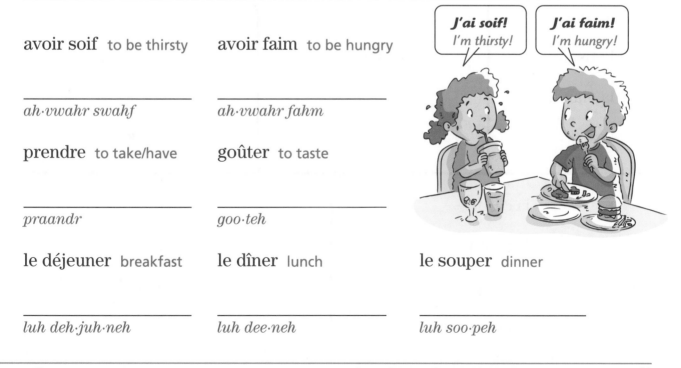

J'ai soif!
I'm thirsty!

J'ai faim!
I'm hungry!

avoir soif to be thirsty

_____
ah·vwahr swahf

prendre to take/have

_____
praandr

le déjeuner breakfast

_____
luh deh·juh·neh

avoir faim to be hungry

_____
ah·vwahr fahm

goûter to taste

_____
goo·teh

le dîner lunch

_____
luh dee·neh

le souper dinner

_____
luh soo·peh

B. Écrivez le nom des objets.
Write the names of the objects.

A _____

B _____

C _____

D _____

P _____

Q _____

R _____

S _____

T _____

C. Rayez ce qui n'appartient pas au groupe.
Cross out the item that does not belong to the group.

1.	2.	3.
le thé	les pâtes	le déjeuner
la tisane	la soupe	le dîner
la viande	la volaille	le nectar
l'eau	le gâteau	le souper

4.	5.
la carotte	le nectar
le céleri	le lait
le pain	la limonade
la pomme de terre	le jus

ISBN: 978-1-927042-18-2

Aller + infinitif = futur proche
To Go + Infinitive = Near Future

Je vais finir mes devoirs.
juh veh fee·neer meh duh·vwahr
I am going to finish my homework.

Aller	Infinitif	
Je vais	prendre...	I **am going** to have...
Tu vas	danser...	You **are going** to dance...
Il/Elle va	parler...	He/She **is going** to talk...
Nous allons	finir...	We **are going** to finish...
Vous allez	courir...	You **are going** to run...
Ils/Elles vont	perdre...	They **are going** to lose...

D. Faites passer les phrases du présent en futur proche. Ensuite traduisez les phrases en anglais.
Change the sentences from present tense to near future. Then translate them into English.

1. Je joue au tennis.

   Je vais _____ .

   En anglais : _____

2. Tu finis tes devoirs.

   _____

   En anglais : _____

3. Marie descend l'escalier.

   _____

   En anglais : _____

4. Nous nageons tous les jours.

   _____

   En anglais : _____

5. Vous dansez très bien.

   _____

   En anglais : _____

6. Tu goûtes le café.

   _____

   En anglais : _____

Expressions

"Futur proche" is used for ordering food in a restaurant.

En anglais : **In English**	En français : **In French**
to order food: "I am going to have..." (near future)	pour commander : « Je vais prendre... » (futur proche)

> *Je vais prendre la soupe aux légumes.*
> *juh veh praandr lah soop oh leh·gewm*
> *I am going to have the vegetable soup.*

E. Regardez les cartes et écrivez ce que chacun va prendre.
Look at the orders and write what each person is going to have.

A Je

la soupe du jour
la salade verte
le croque-monsieur

B Tu

du jus d'orange
la crêpe
le riz
le yogourt

C Nous

des œufs
une salade
des fèves
du café

D Elles

un café
du lait
des crêpes au chocolat

E Il

la salade niçoise
du jus
du pain

F Elle

une tisane
une tranche de gâteau

A Je vais prendre _____

_____

B _____

_____

C _____

_____

D _____

_____

E _____

_____

F _____

_____

F. Regardez le menu et commandez votre repas.
Look at the menu and place your order in French.

Le menu

les entrées :
la salade verte
la soupe du jour
le fromage chèvre chaud[1]

les plats :
le steak-frites[2]
les pâtes à l'italienne[3]
le croque-monsieur

les desserts :
la tarte aux fraises
la crème glacée
la crêpe au sucre[4]

le serveur : Qu'est-ce que vous allez prendre Monsieur/Madame?

Je : _____

_____

le serveur : Est-ce que vous allez prendre un dessert aussi?

Je : _____

_____

1. *chaud(e) :* hot
2. *les frites :* chips
3. *à l'italienne :* Italian-style
4. *le sucre :* sugar

Questions

Qu'est-ce que tu veux, Charlie?
kehs kuh tew vuh shar·lee

What do you want, Charlie?

Vocabulaire : Les adjectifs interrogatifs
(qui, que, quand)

Grammaire : Poser la question avec
« Est-ce que... »

Ouah, ouah!
ooah ooah

Woof, woof!

A. Copiez les mots.
Copy the words.

Est-ce que...?
Do...? (introduces YES/NO questions)

_____

ehs kuh

Est-ce que tu aimes le soccer?
ehs kuh tew ehm luh soh·kehr

Do you like soccer?

qui
who (person)

_____

kee

Qui est-ce qui...?
Who...?

_____

kee ehs kee

Qui est-ce qui entend
le chien?

Who hears the dog?

que
what (thing)

_____

kuh

Qu'est-ce que...?
What...?

_____

kehs kuh

Qu'est-ce que tu aimes faire?
What do you like to do?

Quand est-ce que...?
When...?

Quand est-ce que nous
mangeons?

When are we eating?

_____

kaan ehs kuh

ISBN: 978-1-927042-18-2

Poser la question avec « Est-ce que... »
Asking a Question with "Est-ce que..."

"Est-ce que" is added to the beginning of a sentence to make a Yes/No question. It is called a Yes/No question because the answer always starts with yes or no.

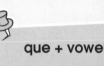

Tu vas à l'école. You are going to school.

Q : **Est-ce que** tu vas à l'école? Are you going to school?

R : **Oui,** je vais à l'école. Yes, I am going to school.

Ils mangent du gâteau. They are eating cake.

Q : **Est-ce qu'**ils mangent du gâteau?
Are they eating cake?

R : **Non**, ils **ne** mangent **pas** du gâteau.
No, they are not eating cake.

> **que + vowel = qu'**
> Est-ce qu'elle parle?
> Est-ce que tu parles?

B. Transformez les phrases en questions avec « Est-ce que » et donnez la réponse.
Change the sentences into questions using "Est-ce que" and give the answers.

1. Ils attendent l'autobus.

   _____

   Non, _____

2. Nous répondons aux questions.

   _____

   Oui, _____

3. Guillaume aime jouer au golf.

   _____

   Oui, _____

Another way of asking a question is to raise your voice at the end of the sentence.

voice raises

Tu prends le métro?
You're taking the subway?

To ask a more specific question, you must first identify whether the person, place, or thing (noun) is the subject or the object of the sentence.

Marie mange **une pomme**. subject object Marie is eating an apple.	**Le chien** mange **une pomme**. subject object The dog is eating an apple.

Subject

- **Qui est-ce qui** mange?
  Who (person) is eating?
- **Qu'est ce qui** mange?
  What (thing) is eating?

Object

- **Qu'est-ce que** Marie mange?
  What is Marie eating?
- **Qu'est-ce que** le chien mange?
  What is the dog eating?

These two expressions always come at the beginning of the sentence.

C. Indiquez le rôle des mots soulignés dans la phrase. Ensuite posez une question à propos de ces mots.

Indicate the role of the underlined words in the sentence. Then ask a question about those words.

A Mon chien a un jouet.   **B** Alice commande son repas.

C J'attends mon ami.   **D** Caroline rend le vidéo.

E Tu écoute la radio.   **F** Vous parlez ensemble.

       rôle   **question**

A _____ _____

B _____ _____

C _____ _____

D _____ _____

E _____ _____

F _____ _____

D. Écrivez les adverbes interrogatifs au bon endroit.

Write the interrogative adverbs in the correct place.

Qui est-ce que   **Qu'est-ce que**

Est-ce que   **Quand est-ce que**

1.

_____ tu aimes manger le plus?
What do you like eating the most?

_____ nous allons à la piscine?
When are we going to the pool?

2.

_____ j'imite?
Who am I imitating?

_____ tu es un singe?
Are you a monkey?

E. Jouons aux devinettes! Complétez les questions ainsi que les réponses.

Let's guess some riddles! Complete the questions as well as the answers.

1. Q : _____ c'est un animal?   R : Oui, _____
    Is it an animal?   Yes, it is an animal.

2. Q : _____ il mange?   R : Il mange des carottes.
    What does it eat?   It eats carrots.

3. Q : _____ un lapin?   R : Bravo! C'est un lapin.
    Is it a rabbit?   Yes, it's a rabbit.

F. Posez des questions qui ont les mots soulignés comme réponse.

Form questions that ask about the underlined words.

> With "Qui est-ce qui (who)" the verb is always conjugated in third person singular (il/elle).

e.g.

Les garçons mangent.

Q : Qui est-ce qui mange (sg.)?

1. André marche dans la forêt aujourd'hui. (when)

_____

2. Nous regardons le soccer à la télévision. (what)

_____

3. Marie et Léon parlent au téléphone. (who)

_____

4. Ils perdent leur temps. (yes/no question)

_____

5. Vous allez prendre le train demain. (when)

_____

6. L'homme vend de la limonade. (who)

_____

7. Nous attendons la pluie. (what)

_____

G. Remplissez les tirets pour compléter le texte. Ensuite répondez aux questions ci-dessous.

Fill in the blanks to complete the text. Then answer the questions below.

1. _____ tu dessines Antoine?
What are you drawing, Antoine?

2. _____ tu penses?
What do you think?

3. _____ c'est un singe?
Is it a monkey?

4. _____ il mange?
What does he eat?

Je ne vais pas te dire. C'est une devinette!
I'm not going to tell you. It's a riddle.

5. _____ tu vas finir ton dessin?
Je ne veux plus deviner.
When will you be done with your drawing? I don't want to guess anymore.

Fini! *6.* _____ est dans le dessin?
Finished! Who is in the drawing?

Oh! *7.* _____ c'est moi? Comme je suis beau!
Oh! Is it me? I look handsome!

8. Qu'est-ce qu'Antoine dessine? _____

9. Est-ce que le chat trouve la réponse? _____

10. Qui est-ce qui ne veut plus deviner? _____

9 Le camping

Camping

Vocabulaire : Le camping

Grammaire : « Vouloir » et « pouvoir »

> **Je veux la crème antimoustique!**
> *juh vuh la krehm aan·tee·moos·teek*
> *I want the insect repellent.*

A. Copiez les mots.
Copy the words.

l'excursion
the excursion

_____
lehks·kewr·syohn

la boussole
the compass

_____
lah boo·sohl

la lampe électrique
the flashlight

_____
lah laamp eh·lehk·treek

la tente
the tent

_____
lah taant

la lanterne
the lantern

_____
lah laan·tehrn

le gilet de sauvetage
the lifejacket

_____
luh jee·leh duh sohv·tahj

la carte
the map

_____
lah kahrt

la crème solaire
the sunscreen

_____
lah krehm soh·lehr

le sac de couchage
the sleeping bag

_____
luh sahk duh koo·shahj

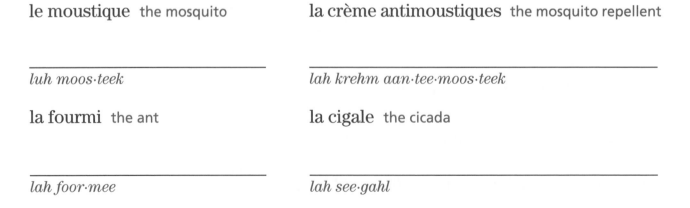

le moustique the mosquito

_____
luh moos·teek

la crème antimoustiques the mosquito repellent

_____
lah krehm aan·tee·moos·teek

la fourmi the ant

_____
lah foor·mee

la cigale the cicada

_____
lah see·gahl

le feu de camp
the campfire

_____

luh fuh duh kaam

le bois de chauffage
the firewood

_____

luh bwah duh shoh·fahj

les allumettes
the matches

_____

leh zah·lew·meht

Je fait du kayak!
I'm kayaking!

Faire...
une promenade
to go for a walk

_____

ewn proh·muh·nahd

Aller à...
la pêche
to go fishing

_____

lah pehsh

la chasse
to go hunting

_____

lah shahs

B. **Mettez la bonne lettre dans le cercle.**
Put the correct letter in the circle.

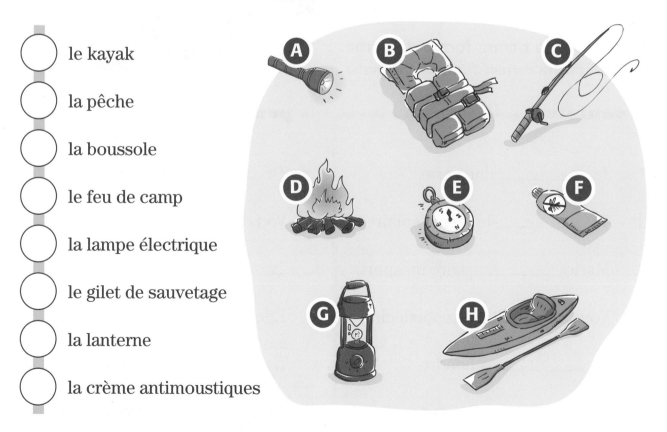

○ le kayak

○ la pêche

○ la boussole

○ le feu de camp

○ la lampe électrique

○ le gilet de sauvetage

○ la lanterne

○ la crème antimoustiques

Grammaire

"Vouloir" and "pouvoir" are irregular verbs from the 3rd group. "Vouloir" can be followed by a common noun or an infinitive verb. "Pouvoir" is only followed by an infinitive verb or nothing at all.

« vouloir » +
• a common noun
• an infinitive

e.g. Il veut un <u>bonbon</u>.
     noun
He wants a candy.

Il veut <u>manger</u>.
     infinitive
He wants to eat.

"pouvloir" + an infinitive

e.g.
Je peux <u>dessiner</u>.   *I can draw.*
infinitif

	« **vouloir** » to want	« **pouvoir** » to be able to/can
je	veux	peux, puis*
tu	veux	peux
il/elle	veut	peut
nous	voulons	pouvons
vous	voulez	pouvez
ils/elles	veulent	peuvent

*The form "puis" is only used with inversion questions.
e.g. Puis-j'aller aux toilettes?
May I go to the washroom?

C. Écrivez la bonne forme du verbe.
Write the correct form of the verb.

« **vouloir** »

1. Je _____ une carte.
2. Tu _____ la crème solaire.
3. Marie _____ faire du sport.
4. Vous _____ être médecin.
5. Ils _____ répondre.
6. Elles _____ partager.

« **pouvoir** »

1. Tu _____ l'avoir.
2. Vous _____ étudier.
3. _____-je répondre?
4. Elles _____ être gentilles.
5. Il ne _____ pas nager.
6. Nous _____ très bien nager.

D. Regardez les images et écrivez ce que chaque personne veut.
Look at the pictures and indicate what each person wants.

A _____

B _____

C _____

D _____

E. Écrivez une phrase complète pour décrire ce que chaque personne peut faire.
Write complete sentences to describe what the people can do.

1. Je – naviguer avec une boussole

   _____

2. Tu – donner la crème antimoustiques à Michelle

   _____

3. Émilie, Luc et Thérèse – remplir la tente

   _____

4. Ils – sommeiller dans leurs sacs de couchage

   _____

5. Vous – donner des leçons de pêche

   _____

Expressions

Impératif de « vouloir »
Imperative of "vouloir"

En anglais :
In English

You (sg.): Please + imperative

You (pl.): Please + imperative

The imperative of "vouloir" is used to give polite orders. It is followed by an infinitive and is translated as "Please...".

En français :
In French

Tu :   veuille + infinitif
        vuhy

Vous : veuillez + infinitif
        vuh·yeh

Veuillez entrer!
vuh·yeh aan·treh
Please come in!

F.   Récrivez les ordres suivants en y ajoutant « vouloir » à l'impératif.
Rewrite the orders below by adding the correct imperative form of "vouloir".

1.   Mange tes légumes s'il te plaît!

   _____

2.   Attachez votre ceinture!

   _____

3.   Excusez mon retard!

   _____

4.   Trouve mon chat!

   _____

5.   Acceptez nos excuses!

   _____

   ISBN: 978-1-927042-18-2

G. Remplissez les tirets pour compléter la lettre de Julie à sa tante.
Fill in the blanks to complete Julie's letter to her aunt.

Ma chère tante Anne,   le 1 juillet 2012

Je vous écris$_1$ pour vous inviter à notre _____ . Moi et
                                                    tent
la famille, nous nous sommes installés au bord$_2$ du grand lac. Ici, nous

_____ de la natation. Aujoud'hui, nous _____ .
to be able to do   to go fishing

Les nuits, nous dormons$_3$ dans nos _____ et nous _____
                                      sleeping bags   to be able to hear

les cigales chanter dans les arbres. Vous _____ rester chez nous si
                                            to be able to

vous _____ ; notre tente est immense$_4$! Nous _____
        to want to   to be able to do

du canotage$_5$ ensemble. Ne vous inquiétez$_6$ pas, vous n'avez pas besoin

d'apporter$_7$ votre _____ , car nous en avons un de plus$_8$! Je
                      life jacket

_____ même nous naviguer$_9$ avec _____ , comme ça
to be able to   my compass

nous ne nous perdrons pas$_{10}$! _____ amener votre _____
                                   Please (vouloir)   mosquito repellent

parce qu'il y a beaucoup de _____ . _____ trouver
                              mosquito   Please (vouloir)

ci-joint une photo de notre site de camp!

J'_____ votre arrivée$_{11}$.
     to wait

Je vous embrasse,
Julie

1. *Je vous écris* : I'm writing to you
2. *nous nous sommes installés au bord* : we set ourselves up by the edge
3. *dormir* : to sleep
4. *immense* : huge   5. *le canotage* : canoeing   6. *inquiéter* : to worry
7. *apporter* : to bring   8. *de plus* : extra   9. *naviguer* : to navigate
10. *ne nous perdrons pas* : we will not get lost   11. *l'arrivée* : the arrival

Vocabulaire : Les verbes réguliers du 1ᵉʳ, 2ᵉ, et 3ᵉ groupes

Grammaire : L'impératif

Cherche partout!
shehrsh pahr·too

Search everywhere!

A. Copiez les mots.
Copy the words.

1ᵉʳ groupe

travailler to work	amener to bring	rester to stay
_____ *trah·vah·yeh*	_____ *ahm·neh*	_____ *rehs·teh*
demander to ask	inviter to invite	
_____ *duh·maan·deh*	_____ *ahn·vee·teh*	
visiter to visit		
_____ *vee·zee·teh*		

2ᵉ groupe

		nourrir to feed
		_____ *noo·reer*
	bâtir to build	finir to finish
	_____ *bah·teer*	_____ *fee·neer*
réussir to succeed	choisir to choose	guérir to heal
_____ *reh·ew·seer*	_____ *shwah·zeer*	_____ *geh·reer*

ISBN: 978-1-927042-18-2

3ᵉ groupe verbes en « -RE »

See Unit 5 for « -RE » conjugations.

attendre
to wait

descendre
to go down

_____
ah·taandr

_____
deh·saandr

répondre
to answer

entendre
to hear

vendre
to sell

_____
reh·pohndr

_____
aan·taandr

_____
vaandr

B. Remplissez les tirets en conjuguant les verbes du 1ᵉʳ groupe.
Fill in the blanks by conjugating the verbs of the 1ˢᵗ group.

1. Je _____ un chat à mes parents.
       to ask

2. Tu _____ chez toi.
       to stay

3. Marlée _____ ses grands-parents.
             to visit

4. Nous _____ les soirs.
          to work

5. Toi et Jacqueline, vous _____ vos cartables.
                          to bring

6. Alex et Jean _____ leurs amis.
                to invite

7. Je _____ un service à mon frère.
       to ask

C. **Conjuguez les verbes du 2ᵉ groupe. Ensuite traduisez les phrases.**
Conjugate the verbs of the 2ⁿᵈ group. Then translate the sentences.

1. Je _____ (choisir) le médecin le plus gentil.

   En anglais : _____

   _____

See Unit 3 for conjuguations of verbs in the 2ⁿᵈ group.

2. Alex _____ (finir) l'exercise.

   En anglais : _____

3. Tu _____ (réussir) dans la vie. (la vie : life)

   En anglais : _____

4. Jacques et sa sœur _____ (nourrir) les oiseaux.

   En anglais : _____

D. **Conjuguez les verbes en « -RE » du 3ᵉ groupe.**
Conjugate the verbs ending in "-RE" from the 3ʳᵈ group.

« **répondre** »

1. Je _____ au téléphone.

2. Tu _____ à la lettre.

3. Elle _____ à la question.

4. Nous _____ à l'heure.

5. Vous _____ au couriel.

« **attendre** »

1. Vous _____ le train.

2. Qu'est ce qu'il _____ ?

3. Tu _____ ta mère.

4. J' _____ l'autobus.

5. Elles _____ le repas.

E. Reliez les noms aux infinitifs correspondants.
Match the nouns with the corresponding infinitives.

une guérison
a cure

un choix
a choice

le travail
the work

une invitation
an invitation

un dessin
a drawing

un bâtiment
a building

la fin
the end

une vente
a sale

une visite
a visit

une réponse
an answer

une demande
a request

la nourriture
food

un jeu
a game

1. jouer   _____

2. choisir   _____

3. demander   _____

4. finir   _____

5. nourrir   _____

6. dessiner   _____

7. travailler   _____

8. répondre   _____

9. vendre   _____

10. guérir   _____

11. inviter   _____

12. visiter   _____

13. bâtir   _____

L'impératif
The Imperative

The imperative is used to command someone to do something.

The imperative is only conjugated in three persons: tu, nous, vous.

	« -ER »	« -IR »	« -RE »
tu	Travailles! Work!	Choisis! Choose!	Attends! Wait!
nous	Travaillons! Let's work!	Choisissons! Let's choose!	Attendons! Let's wait!
vous	Travaillez! Work!	Choisissez! Choose!	Attendez! Wait!

> *In the imperative, subjects are not expressed; they are neither spoken nor written.*

Imperative endings are the same as those in the present tense.

e.g. l'indicatif présent : **Tu attends** le train.
    You are waiting for the train.

l'impératif : **Attends le** train!
    Wait for the train!

Exception: for verbs ending in "-ER", the -s ending in the second person singular "tu" is dropped.

e.g. l'indicatif présent : **Tu manges** une banane.
    You are eating a banana.

l'impératif : **Mange une** banane!
    Eat a banana!

Attention!

avoir	être
aie *have*	sois *be*
ayons *let's have*	soyons *let's be*
ayez *have*	soyez *be*

e.g *N'aie pas peur!*
    Don't be scared!

F. **Mettez les phrases à l'impératif.**
Put the sentences in the imperative.

1. Tu finis ton dîner. _____

2. Nous demandons la pause. _____

3. Vous attendez l'autobus. _____

4. Vous amenez vos amis. _____

5. Tu rends visite au dentiste. _____

6. Tu es gentille. _____

G. Complétez les phrases avec la bonne forme de l'impératif.
Complete the sentences with the correct form of the imperative.

1.

_____ la lampe!
regarder (tu)

_____ gentil!
être (vous)

2.

_____ aux questions.
répondre (vous)

_____ la bonne _____.
choisir (vous)   the answer

3.

_____ ton sandwich!
manger (tu)

_____ une minute! Je mange
attendre (tu)
une pomme maintenant.

_____-
cacher (nous)
nous vite!
Let's hide quickly!

_____ là!
rester (vous)

Stay there!

_____-moi tranquille!
laisser (vous)
Leave me alone!

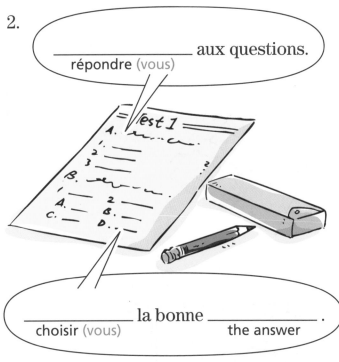

La révision

A. Encerclez la bonne réponse.
Circle the correct answer.

1.

la boussole

la carte

la tente

2.

le centre d'achats   la campagne

le musée

3.

le parc

le magasin

le marché

4.

le gâteau

le thé

les crêpes

5.

les allumettes

le feu de camp

le bois de chauffage

6.

un verre

une assiette

une serviette

ISBN: 978-1-927042-18-2

7.

le lac

la plage

la ville

8.

la gymnastique   le vélo

la natation

9.

le grille-pain

le micro-ondes

le tiroir

10.

le hockey

le patinage

le ski

11.

le déjeuner   le dîner

le souper

12.

Sam ou le chien

Ni Sam ni le chien

Sam et le chien

B. **Remplissez les tirets avec les bons mots.**
Fill in the blanks with the correct words.

1. Mon frère demande : « _____

   c'est ça? », « _____ nous partons? »,

   et « Tu parles avec _____ ? »

   qui
   qu'est-ce que
   quand est-ce que

2. Voici Mathilde et _____ animaux

   domestiques. « _____ chien s'appelle

   Charlie et _____ chatte Fifi »,

   dit-elle.

   mon
   ses
   ma

3. Nous allons toujours au parc _____ au

   cinéma. _____ nous n'allons jamais au

   musée _____ à la plage.

   et
   ni
   mais

4. Mon grand frère me donne toujours des

   ordres! « _____-moi des bonbons!

   _____ mes devoirs pour moi et

   _____ mes vêtements! » crie-t-il.

   finis
   amène
   lave

C. **Mettez les lettres dans les bons cercles.**
Put the letters in the correct circles.

(A) un insecte.

(B) ne répondent au téléphone.

(C) « Attends! »

(D) amène les boissons?

(E) dans le lac.

(F) son bâton de hockey.

(G) et les chiens.

(H) je bois de l'eau.

(I) dans une ville.

(J) à la bibliothèque.

1. Ni Jean, ni Luc…

2. Il me demande…

3. J'aime les chats…

4. Le moustique est…

5. Quand j'ai soif…

6. Qui est-ce qui…

7. Une tour se trouve…

8. Je rends mes livres…

9.

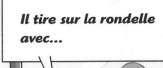

Nous nageons…

10.

Il tire sur la rondelle avec…

ISBN: 978-1-927042-18-2

D. **Encerclez la bonne réponse à l'aide de l'image.**
Circle the correct answer with the help of the picture.

1.

Il frappe la balle avec **le club / le bâton** .
to hit

2.

Elle va **au cinéma / à l'hôtel** .

3.

Ils sont sur **les matelas / la poutre** .

4.

Le ballon va au-dessus **du panier / du filet** .

5.

Elle **aime / n'aime pas** la soupe.

6.

Le jus est à côté de **le café / le lait** .

7.

Il mange la salade avec **une fourchette /**

un couteau .

ISBN: 978-1-927042-18-2

E. Rayez l'intrus.
Cross out the word that does not belong.

mes   mon
ta   ma

Travaille!
Choisis!
Restez!
Demande!

la salade
les fruits de mer
la viande
la volaille

et   mais
ou   qui

le thé
la crème glacée
le café
la tisane

attendre   mordre
vendre   remplir

F. Reliez les mots qui conviennent.
Match the words that go together.

le sac à lui   le riz
une assiette   parce que
une réponse   la rivière

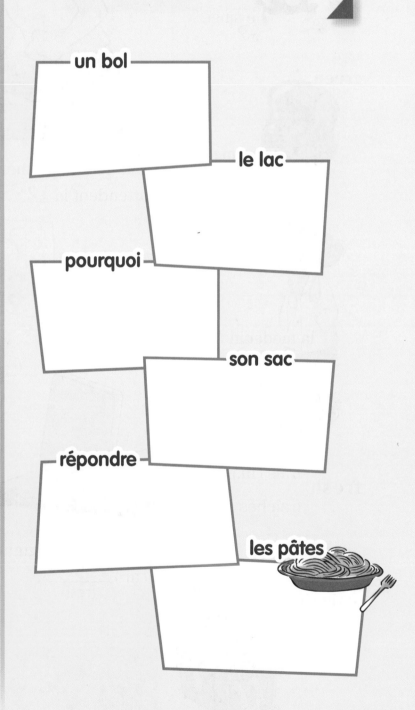

un bol

le lac

pourquoi

son sac

répondre

les pâtes

Faites les mots croisés.
Complete the crossword puzzle.

la crevette

le singe

green

vert (m.s.)
verte (f.s.)

la médecin

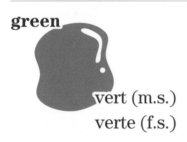

fresh frais (m.p.)
fraîches (f.p.)

fatigué (m.s.)
fatiguée (f.s.) **tired**

___1___ est-ce que tu sommeilles?

Je sommeille parce que je suis ___3___ .

Élodie et sa mère attendent la ___2___ .

Ce sont des légumes (m.) ___5___ .
fresh

ISBN: 978-1-927042-18-2

Nous mangeons avec nos __1__ .

Nous allons prendre une salade __3__ .

Est-ce que tu es un __4__ ?

Ou tu manges le poisson ou tu manges la __2__ !

Mots cachés - Word Search

Trouvez les mots cachés dans la grille.
Find the words in the word search.

```
                          a  t  g  d  b  w  r     n
                       f  r  o  i  â  u  h  c
                    o  k  g  k  u  g  q  l  f  a
w  à  t  f  s  g  n  m  i  b  â  f  p  à  u  â  a  l
q  e  i  o  t  i  w  a  b  a  t  e  n  t  e  x  i  c
z  c  w  u  p  z  b  l  z  l  e  j  e  â  u  g  m  k
j  u  n  r  r  a  k  à  k  l  a  v  i  a  n  d  e  y
d  e  n  c  p  l  i  e  t  o  u  p  j  g  t  x  p  w
h  d  s  h  l  a  s  n  q  n  r  e  s  â  q  s  é  u
i  o  h  e  u  o  r  y  f  o  n  c  d           d
k  y  u  t  c
o  s  f  t  b  m  f  a  e  v
r  t  e  e  a  b  b  v  â  s
```

Laissez-moi tranquille!

moustique

ballon

tente

Qu'est-ce que tu faites?

costume de bain

viande

assiette

sac de couchage

fourchette

J'ai faim!

jus

gâteau

limonade   pain

```
d  v  o  l  l  e  y  -  b  a  l  l  x  l  t  b  s  a  c
e  r  m  n  o  n  n  é  n  l  e  o  c  c  t  o  a  o  o
k  a  t  l  y  k  b  i  s  i  k  m  -  o  à  k  c  l  r
m  à  y  a  i  n  y  s  j  o  u  o  n  s  d  é  d  à  m
o  o  j  u  s  o  l  n  é  h  x  u  o  t  o  z  e  o  j
z  i  b  q  u  s  e  r  t  e  é  s  z  u  r  o  c  t  z
a  y  â  r  l  a  i  s  s  e  z  t  a  m  l  u  o  -  g
r  t  a  y  s  u  p  e  i  j  v  i  s  e  f  t  u  l  y
l  s  l  s  u  à  m  s  t  s  s  q  s  d  s  c  c  s  s
m  d  r  i  d  e  q  q  o  t  d  u  d  e  d  h  h  i  d
o  m  k  f  m  i  p  l  h  k  e  e  k  b  s  e  a  n  é
      a  r  g  o  x  a  w  f  k  f  s  à  y  o  g  o  x
      m  n  e  r  d  i  e  l  i  u  t  e  n  p
      r  a  e  g  h  l  w  n  j  e  r  i  k
      s  d  n  e  a  e  u  h  g  e  o  i
      h  c  e  l  s  v  t  z  x  v  b  h
         u  x  h  r  à  g  f  i
         z  e  u  w  r
```

volley-ball

filet

Nous jouons au volley-ball.

ISBN: 978-1-927042-18-2

ISBN: 978-1-927042-18-2

Réponses Answers

1 Les adjectifs possessifs
Possessive Adjectives

B. B: C'est notre chat. ; Ce sont nos chats.
    C: C'est mon ours. ; Ce sont mes ours.
    D: C'est votre maison. ; Ce sont vos maisons.
    E: C'est sa robe. ; Ce sont ses robes.

C. 1. Ma saison préferée est l'hiver.
    2. Notre classe est très grande.
    3. Ton professeur est très gentil.
    4. Sa crème glacée est froide.
    5. Ses quatre-vingt-dix-neuf robes sont jolies.
    6. Leur maison est grande mais leurs chambres sont petites.
    7. Ton nez est rouge!

D. 1. son
    2. Je mange ma pomme.
    3. Tes fleurs sont ici.
    4. Quelles sont ses robes?
    5. As-tu besoin de ton livre?
    6. J'embrasse ma mère.

E. Je : ma lampe ; la lampe à moi
        mes clés ; les clés à moi
    Tu : ton vélo ; le vélo à toi
        ta balançoire ; la balançoire à toi
        tes fleurs ; les fleurs à toi
    Il/Elle : son ananas ; l'ananas à lui/elle
        sa banane ; la banane à lui/elle
        ses pommes ; les pommes à lui/elle

F. 1. mes ; tes
    2. notre ; toi
    3. lui ; tes

G. 1. tes pieds
    2. ma bouche
    3. nos bouches
    4. leurs oreilles

2 Les conjonctions
Conjunctions

B. 1. et   2. ou
    3. Ni ; ni ; ne 4. mais

    5. n' ; ni ; ni   6. ou

C. 1. Je mange parce que j'ai faim.
    2. Tu chantes et tu danses.
    3. Nous avons raison car nous sommes intelligents.
    4. Je mange mon déjeuner puis je me brosse les dents.

D. 1. Je mange parce que j'ai faim.
    2. Il danse parce qu'il est content et elle pleure parce qu'elle est triste.
    3. Je sommeille parce que je suis fatigué(e) et ennuyé(e).
    4. Nous étudions le français parce qu'il est beau.
    5. Son chien aboie parce qu'il est fâché.

E. 1. ou je vais au parc avec mon frère
    2. ni avec ton chien ni avec ton chat
    3. ou vous allez à l'école
    4. ou ils vont à la plage
    5. ni ses lunettes ni son chapeau
    6. ni le chien n'aime le chat

F. et ; parce qu' ; car ; et ; mais ; Donc ; Ni ; ni ; Ou ; ou ; Donc ; puis

3 La négation
The Negative

B. 1. bâtir   2. remplir
    3. choisir   4. salir
    5. punir   6. nourrir
    7. avertir   8. rougir

C. 1. salit   2. finis
    3. grandissent 4. agit
    5. remplissons 6. obéissez
    7. rougissent 8. nourris
    9. choisit

D. 1. Il ne va jamais à l'école.
    2. Je n'aime pas mon cousin.
    3. Tu ne finis jamais tes devoirs.
    4. Tu ne remplis pas ton verre.
    5. Elle ne rougit plus de colère.
    6. Vous ne choisissez pas votre famille.
    7. Nous ne bâtissons plus une maison.
    8. Je n'avertis jamais mes amis.

Réponses Answers

E. 1. Jean aime bâtir des maisons.
   2. Jacqueline nourrit son chien.
   3. Lucie remplit son bol.
   4. Il obéit.

F. A: Elle rougit. ; Elle ne rougit pas.
   B: Elle remplit le bol. ; Elle ne remplit pas le bol.

G. 1. Monique punit son chien.
   2. Claire et Marie avertissent leur frère.
   3. Lucie choisit la robe bleue.
   4. Nous bâtissons une maison.

4 En ville
In the City

B. 1. au cinéma   2. au restaurant
   3. à l'école   4. au musée
   5. au magasin

C. A: à l'aéroport   B: au marché
   C: à la plage   D: au musée
   E: au restaurant   F: au monument
   G: au parc   H: au centre d'achats

D. 1. mange à l'école
   2. finissent ; à la bibliothèque
   3. êtes à l'aéroport
   4. es à la plage
   5. fait chaud au parc
   6. arrivons à la maison (chez nous)

E. 1. va au   2. vais à
   3. vont au   4. allez à
   5. allons au   6. vas à
   7. vont à   8. vais au
   9. allez à

F. A: Marcel et son chien vont au parc.
   B: Henri va au cinéma.
   C: Nous allons à l'école.
   D: Monsieur Paul va à New York.

G. (Individual answers)

5 La cuisine
The Kitchen

B. 1. un bol
   2. une fourchette
   3. un couteau
   4. une bouilloire
   5. un grille-pain
   6. un micro-ondes
   7. une poêle
   8. un placard
   9. un napperon

C.

une chaise — une assiette
un couteau — une table
un napperon — une fourchette
un bol — une serviette
la cuisinière — la hotte

D. 1. réfrigérateur
   2. verre
   3. table
   4. bol
   5. fourchette
   6. cuillère

E. entendre : entends ; entends ; entend ; entendons ; entendez ; entendent
   répondre : réponds ; réponds ; répond ; répondons ; répondez ; répondent
   rendre : rends ; rends ; rend ; rendons ; rendez ; rendent
   mordre : mords ; mords ; mord ; mordons ; mordez ; mordent
   descendre : descends ; descends ; descend ; descendons ; descendez ; descendent
   1. attends
   2. entendons
   3. réponds
   4. mord

F. descend ; finit ; attend ; va ; rend ; vendent ; mord ; perd

G. 1. ses livres ; la bibliothèque
   2. à la cafétéria
   3. son dîner
   4. mord
   5. perd

ISBN: 978-1-927042-18-2

H. 1. C. vend
   2. B. attendent
   3. B. descends
   4. C. répond

6 Les sports
Sports

B. 1. le golf
   2. le vélo
   3. la natation
   4. le football américain
   5. la gymnastique
   6. le patinage
   7. le base-ball
   8. le ski
   9. le base-ball
  10. le basket-ball

C. Faire de : fais ; fais ; fait ; fait ; faisons ; faites ; font
   Jouer à : joue ; joues ; joue ; joue ; jouons ; jouez ; jouent

D. 1. Elles font de la boxe.
   2. Marie fait du patinage.
   3. Vous jouez au hockey.
   4. Bruno et Daniel jouent au tennis.
   5. Tu joues au basket-ball.
   6. Ils font de la lutte.
   7. Il joue au golf.
   8. Pierre et Martin jouent au soccer.

E. ai ; réveille ; fais de la natation ; jouons au golf ; mangeons ; joue au basket-ball ; regarde la boxe ; faisons ; préparent ; jouons ; mangeons ; suis

7 Au restaurant
At the Restaurant

B. A: les pâtes
   B: les fruits de mer
   C: la soupe
   D: le café
   P: le thé

Q: le riz
R: les pommes de terre
S: le poulet
T: le gâteau

C. 1. la viande
   2. le gâteau
   3. le nectar
   4. le pain
   5. le lait

D. 1. jouer au tennis. ; I am going to play tennis.
   2. Tu vas finir tes devoirs. ; You are going to finish your homework.
   3. Marie va descendre l'escalier. ; Marie is going to go down the stairs.
   4. Nous allons nager tous les jours. ; We are going to swim every day.
   5. Vous allez danser très bien. ; You are going to dance very well.
   6. Tu vas goûter le café. ; You are going to taste the coffee.

E. A: la soupe du jour, la salade verte et le croque-monsieur.
   B: Tu vas prendre du jus d'orange, la crêpe, le riz et le yogourt.
   C: Nous allons prendre des œufs, une salade, des fèves et du café.
   D: Elles vont prendre un café, du lait et des crêpes au chocolat.
   E: Il va prendre une salade niçoise, du jus et du pain.
   F: Elle va prendre une tisane et une tranche de gâteau.

F. (Individual answers)

8 La question
Questions

B. 1. Est-ce qu'ils attendent l'autobus? ; ils n'attendent pas l'autobus.
   2. Est-ce que nous répondons aux questions? ; vous répondez aux questions.
   3. Est-ce que Guillaume aime jouer au golf? ; Guillaume aime jouer au golf.

Réponses Answers

C. A: subject ; Qu'est-ce qui a un jouet?
    B: object ; Qu'est-ce qu'Alice commande?
    C: object ; Qui est-ce que tu attends?
    D: subject ; Qui est-ce qui rend le vidéo?
    E: object ; Qu'est-ce que tu écoutes?
    F: subject ; Qui est-ce qui parle ensemble?
D. 1. Qu'est-ce que ; Quand est-ce que
    2. Qui est-ce que ; Est-ce que
E. 1. Est-ce que ; c'est un animal.
    2. Qu'est-ce qu'
    3. Est-ce que c'est
F. 1. Quand est-ce qu'André marche dans la forêt?
    2. Qu'est-ce que nous regardons à la télévision?
    3. Qui est-ce qui parle au téléphone?
    4. Est-ce qu'ils perdent leur temps?
    5. Quand est-ce que vous allez prendre le train?
    6. Qui est-ce qui vend de la limonade?
    7. Qu'est-ce que nous attendons?
G. 1. Qu'est-ce que
    2. Qu'est-ce que
    3. Est-ce que
    4. Qu'est-ce qu'
    5. Quand est-ce que
    6. Qui est-ce qui
    7. Est-ce que
    8. Antoine dessine un chat.
    9. Oui, le chat trouve la réponse.
    10. Le chat ne veut plus deviner.

9 Le camping
Camping

B. H: le kayak
    C: la pêche
    E: la boussole
    D: le feu de camp
    A: la lampe électrique
    B: le gilet de sauvetage
    G: la lanterne
    F: la crème antimoustiques

C. vouloir :
    1. veux   2. veux
    3. veut   4. voulez
    5. veulent   6. veulent
    pouvoir :
    1. peux   2. pouvez
    3. Puis   4. peuvent
    5. peut   6. pouvons
D. A: Il veut une allumette.
    B: Elle veut une lampe électrique.
    C: Tu veux une boussole et un gilet de sauvetage.
    D: Vous voulez de la crème antimoustiques et une tente.
E. 1. Je peux naviguer avec une boussole.
    2. Tu peux donner la crème antimoustiques à Michelle.
    3. Ils peuvent remplir la tente.
    4. Ils peuvent sommeiller dans leurs sacs de couchage.
    5. Vous pouvez donner des leçons de pêche.
F. 1. Veuille manger tes légumes s'il te plaît!
    2. Veuillez attacher votre ceinture!
    3. Veuillez excuser mon retard!
    4. Veuille trouver mon chat!
    5. Veuillez accepter nos excuses!
G. tente ; pouvons faire ; allons à la pêche ; sacs de couchage ; pouvons entendre ; pouvez ; voulez ; pouvons faire ; gilet de sauvetage ; peux ; ma boussole ; Veuillez ; crème antimoustiques ; moustiques ; Veuillez ; attends

10 L'impératif
The Imperative

B. 1. demande   2. restes
    3. visite   4. travaillons
    5. apportez   6. invitent
    7. demande
C. 1. choisis ; I am choosing the nicest doctor.
    2. finit ; Alex is finishing the exercise.

3. réussis ; You are succeeding in life.

4. nourrissent ; Jacques and his sister are feeding the birds.

D. répondre

1. réponds   2. réponds

3. répond   4. répondons

5. répondez

attendre

1. attendez   2. attend

3. attends   4. attends

5. attendent

E. 1. un jeu   2. un choix

3. une demande   4. la fin

5. la nourriture   6. un dessin

7. le travail   8. une réponse

9. une vente   10. une guérison

11. une invitation   12. une visite

13. un bâtiment

F. 1. Finis ton dîner!

2. Demandons la pause!

3. Attendez l'autobus!

4. Amenez vos amis!

5. Rends visite au dentiste!

6. Sois gentille!

G. 1. Regarde ; Soyez

2. Répondez ; Choisissez ; réponse

3. Mange ; Attends ; Cachons ; Restez ; Laissez

La révision
Revision

A. 1. la carte   2. la campagne

3. le marché   4. le gâteau

5. le bois de chauffage

6. une serviette

7. la plage   8. la natation

9. le grille-pain   10. le patinage

11. le déjeuner   12. Sam et le chien

B. 1. Qu'est-ce que ; Quand est-ce que ; qui

2. ses ; Mon ; ma

3. et ; Mais ; ni

4. Amène ; Finis ; lave

C. 1. B   2. C

3. G   4. A

5. H   6. D

7. I   8. J

9. E   10. F

D. 1. le club   2. au cinéma

3. les matelas   4. du filet

5. n'aime pas   6. le lait

7. une fourchette

E. ta ; Restez! ; la salade ; qui ; la crème glacée ; remplir

F. un bol : une assiette

le lac : la rivière

pourquoi : parce que

son sac : le sac à lui

répondre : une réponse

les pâtes le riz

Mots croisés
Crossword Puzzle

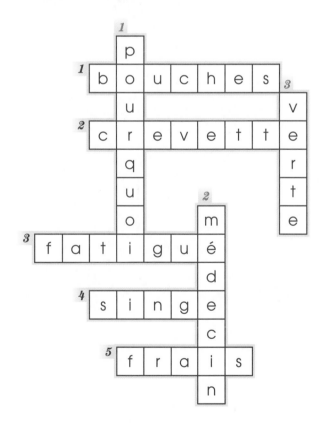

Mots cachés
Word Search